Y0-BSL-364
SACRAMENTO, CA 95814
06/2017

祝你生日快乐

一年只有一次

“生日快乐”吗?

只要你愿意,

“心情”可以天天过生日……

方素珍/著　仇桂芳/绘

浙江少年儿童出版社

太阳还没有下山，小丁子骑着自行车出去玩。他看见远远的大树下,有一个戴着帽子的小孩。一阵风吹来,小孩的帽子飞走了……

小丁子立刻去追帽子……他把帽子还给那个小孩，说："你是男生还是女生？你怎么没有头发？"

"我是女生。我有'癌'症，常常打针、吃药，所以头发掉光了。谢谢你替我捡帽子。你叫什么名字？"

"我叫小丁子，你呢？"

"我比你大，你要叫我小姐姐。"

小丁子在小姐姐旁边坐下来:“什么叫‘癌’症?会不会死啊?”

“就是身体里有很多坏细胞嘛。我妈妈说,‘癌’症又叫‘挨’症,只要我不怕,‘挨’得过去,就没事了。我也不知道会不会死。我妈妈教我‘数花瓣’,我已经数了好几朵,再数一朵给你看。”

小姐姐摘了一朵七瓣的小白花,一面撕花瓣,一面念着:“不会,会,不会,会,不会,会,不会。”

小姐姐笑了:“最后一瓣是‘不会’,意思就是我不会死。”

小丁子也摘了一朵小白花。他念着:“会,不会,会,不会,会,不会,会。”

最后一瓣是“会”,意思就是“会死”?

奇怪,小丁子的答案怎么不一样呢?

他问小姐姐:“那么你怕不怕死?”

“怕呀!但是我妈妈说,小朋友死了,都会变成小天使。到时候,我的头发就会长出来了。”

“哇!那你就可以梳辫子了!”

小姐姐捂着嘴笑:“是啊,也可以戴发卡。”

“对了,还可以绑蝴蝶结。”

他们越说越高兴。小丁子看看旁边的大树，说:“我们来刻一个长头发的小天使做纪念吧。”

“不要！”小姐姐手一挥，她腿上的书掉了下来。小丁子问：“这是什么书？说给我听听，好吗？”于是，小姐姐说了一个《乌龟撒种子》的故事——

在河边，有一棵百年大树。许多动物来大树下玩的时候，都在树上刻“自己的脸”做纪念。只有小乌龟慢吞吞地在大树下撒种子。大家都说他是一只“笨龟”。

第二年春天，小熊和小兔子又来到大树下，他们都吓了一跳——

哇！大树下开满了紫色、黄色、蓝色、粉红色的小花！

蝴蝶高兴地飞来飞去，说："乌龟种的花，好漂亮啊！"

大家终于知道，小乌龟留下的才是最好的纪念呢！

小姐姐合上书，说："故事讲完了，该回家啦。明天再来，好不好？"

"好吧！再见！"小丁子一面想着好听的故事，一面骑着自行车回家了。

后来，小丁子常常在太阳还没下山的时候，骑着自行车出来找小姐姐。

有一天，小姐姐拿一个“锁”给小丁子看：“这个叫‘开心锁’，我妈妈给我的。下个礼拜的今天，是我的生日。明天我又要住院了，如果我乖乖地打针吃药，很快就可以回来打开这个锁。我妈妈说，先把‘开心锁’挂在大树上，大树爷爷就会保佑我。”

小丁子立刻爬上大树，替小姐姐把“开心锁”挂在树枝上。他闭上眼睛，合起双手祈求大树爷爷保佑。小姐姐把钥匙放进口袋里，两个人都安心地笑了。

小丁子说:“你生日那一天,我会送你一个蛋糕。”

“哈哈!你哪有钱?”

“不用钱啦!我妈妈教我用‘手’做的,不能吃,但是可以许愿,也可以吹蜡烛呢!”

小姐姐眼睛一亮:“好哇!生日那天,我们再来这里。”

小丁子说:“对!还要打开这个‘开心锁’。”

“好!拉钩钩。”

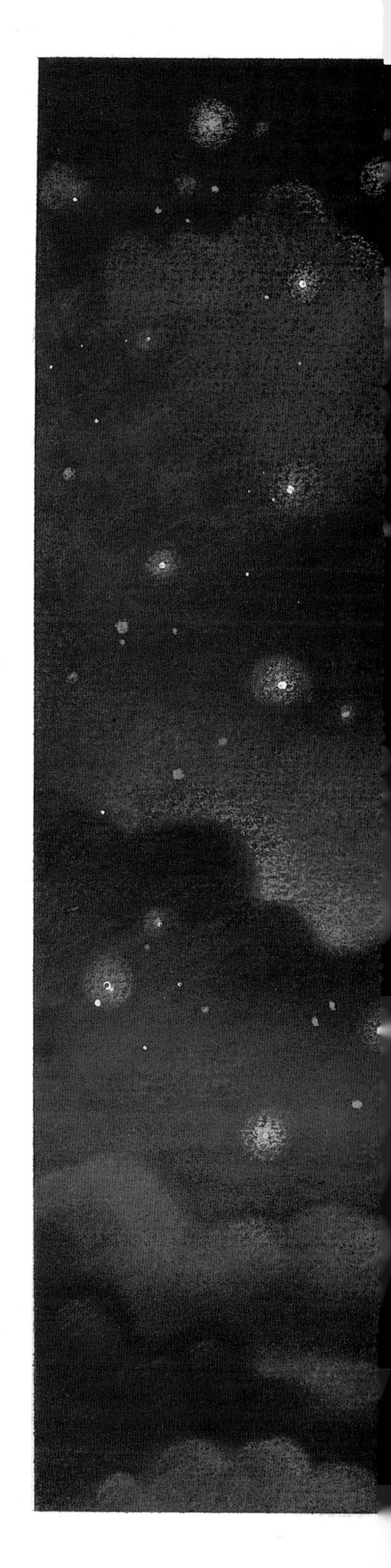

第二天，第三天，第四天，第五天……小丁子一直在等待着小姐姐的生日。

终于，这一天到了！但是，小姐姐没有来。

天黑了，小丁子该回家了。他摘了一朵小花，嘴里念着："会，不会，会，不会，会，不会，会……哈哈！最后一瓣是'会'，意思就是小姐姐会回来！也许，明天就回来了！"

“可今天是小姐姐生日，我还是要帮她庆祝！”

小丁子把双手的手指头撑开，围成一个圆圆的“蛋糕”形状，手指头当作是蜡烛……这时候，正好有几只萤火虫飞过来，停在他的手指头上……小丁子为小姐姐唱了一首生日快乐歌，并且替她许了一个愿，然后，用力一吹：“呼——”

萤火虫飞起来了……

小丁子看着远方轻轻地说：

“小姐姐，生——日——快——乐。”

小姐姐到底会不会
回来打开“开心锁”呢？
对了！我们也来
数一数花瓣吧……

生命如此脆弱和美丽

方素珍

《祝你生日快乐》是我和仉桂芳 1995 年第一次合作的绘本。当时她想参加第一届《国语日报》儿童文学牧笛奖，特地请我为她写个故事。

我想起大儿子六岁生日当天，因为没有蛋糕而觉得生日不快乐。当时我们已躺在床上要睡了，我灵机一动，用十根手指头围成一个圆形的蛋糕状，为他唱生日快乐歌，跟他说手指头当作是蜡烛，可以许愿。等他吹完蜡烛，我就把手指头一缩，变成了两块蛋糕，我们一人一块假装吃蛋糕。儿子喜欢这样的游戏，总算满意地度过了六岁生日，这件事给了我一篇童话的雏形。

我从一对青蛙兄妹的生日写起，青蛙妈妈要上街买蛋糕庆祝，回家途中遇见了饥饿的大公鸡、小黄狗……好心的青蛙妈妈将蛋糕分给他们，最后只剩下蛋糕上的樱桃。青蛙妈妈急着要回家，不小心跌了一跤，樱桃也没了。结果青蛙兄妹什么都没得吃，青蛙妈妈只好用手围成蛋糕。这时候，萤火虫飞过来停在青蛙妈妈的手上，青蛙兄妹也可以许愿吹蜡烛了。写完童话，我居然没什么感动，于是推翻原先的构想，和仉桂芳再进行讨论。

我们谈到一位亲戚的孩子罹患癌症的事情，突然觉得“感情戏比较催泪”，加上那个年代，台湾作家并没有人书写这方面的题材，于是，我推翻原来的童话，决定用一位患有血癌的孩子当主角，创作一本“和死亡有关但不悲情的书”。我没有避讳“死”的字眼，从书中的小丁子稚气的追问中说出来，“死”并不会引起过度的敏感和害怕。最后小姐姐是否会回来，我也不明说，想留给读者更大的想象空间。故事在两个月完成后，交给仉桂芳日以继夜地赶图五个月，终于赶上了截稿日期，并顺利地拿下第一届《国语日报》儿童文学牧笛奖的图画书类佳作。

《祝你生日快乐》只获得很小的佳作奖，因为评审认为孩子“不知生，焉知死”，并不看好这种作品能让孩子接受。但我安慰画家，我相信这本书的后势看好，探讨生命教育的题材，绝对是一种趋势。果然，《祝你生日快乐》在两岸陆续出版后，取得很好的销售成绩，台版印刷近二十次，并卖出美国和加拿大的英文版权。2015 年，《祝你生日快乐》由浙江少年儿童出版社重新改版上市。我衷心地感激，并祝福天下所有的孩子都能平安长大，更希望《祝你生日快乐》是我原创绘本中最动人的经典。

作者简介 方素珍

1957 年生，台湾宜兰人。辅仁大学教育心理系毕业。1975 年开始从事童诗、童话与绘本创作、翻译，编写语文教科书及儿童阅读推广工作。

历任海峡两岸儿童文学研究会理事长、香港教育出版社语文顾问、北京首都师范大学学前教育学院绘本中心顾问、《儿童文学家》社长、康轩教科书编委、南京《乐学少年报》首席阅读顾问。

著有《绘本阅读时代》《创意玩绘本》《妈妈心·妈妈树》《祝你生日快乐》《我有友情要出租》《外婆住在香水村》等作品，翻译《花婆婆》《是谁嗯嗯在我的头上》《爱书的孩子》等图书，共近两百册。

曾获洪建全儿童文学奖、杨唤儿童诗奖、《国语日报》儿童文学牧笛奖、《联合报》年度最佳童书等奖项。

博客地址：花婆婆方素珍绘本学苑

http://blog.sina.com.cn/fangsuchen

绘者简介 仉桂芳

基隆出生成长，最爱海洋的多变与雨天的宁静。喜欢一支小小的彩笔，就能开启一个又一个奇幻绚丽的世界……

曾任直角广告公司设计总监。目前为自由工作者，专职设计、插画与玩耍。

获奖——

《渔港的小孩》获第十七届洪建全儿童文学奖

《祝你生日快乐》获《国语日报》儿童文学牧笛奖、《联合报》年度最佳童书

第十四届“中华儿童文学奖”年度最佳美术奖得主

图书在版编目(CIP)数据

祝你生日快乐/方素珍著;仉桂芳绘.
—杭州:浙江少年儿童出版社,2015.10(2016.7重印)
(花婆婆·方素珍 原创绘本馆)
ISBN 978-7-5342-8940-8

Ⅰ.①祝… Ⅱ.①方… ②仉… Ⅲ.①儿童文学-图画故事-中国-当代 Ⅳ.①I287.8

中国版本图书馆CIP数据核字(2015)第206134号

花婆婆·方素珍 原创绘本馆

祝你生日快乐

方素珍/著 仉桂芳/绘

责任编辑:吴颖 陈曦
美术编辑:周翔飞
责任校对:沈鹏
责任印制:林百乐
出版发行:浙江少年儿童出版社
(杭州市天目山路40号)
印刷:浙江新华数码印务有限公司
经销:全国新华书店
开本:635×965 1/8
印张:5 插页:4
2015年10月第1版 2016年7月第4次印刷
ISBN 978-7-5342-8940-8
印数:20001—25000 定价:29.00元

(如有印装质量问题,请与承印厂联系调换)